Caillou
MD

Fini les couches !

Texte : Christine L'Heureux • Consultante : Francine Nadeau, M. Ps., psychologue
Illustrations : Pierre Brignaud • Coloration : Marcel Depratto

chouette

Caillou sait maintenant quand il doit aller sur le pot. Il joue dehors sans couche. Il ne porte qu'une petite culotte. Mais la nuit, Caillou n'arrive pas à se réveiller pour aller sur le pot. Sa maman lui met encore une couche.

Caillou veut utiliser les toilettes des grands comme son papa. Papa installe un petit siège pour Caillou sur l'ouverture des toilettes.

−Caillou, tu peux faire pipi et caca sur les toilettes des grands.

Il y a même un petit banc pour grandir Caillou.

Caillou est curieux. Il monte sur le petit banc et s'assoit. Il n'a plus peur de tomber dans la cuvette. Caillou est rassuré.

Caillou joue ensuite au camion avec le petit banc. Il le place devant le lavabo et monte dessus. Caillou se lave les mains tout seul. Caillou se sent grand.

Caillou remplit le lavabo pour jouer avec
l'eau. Caillou s'amuse avec ses cubes.
Il fait couler l'eau tout doucement, puis très
vite. Caillou remplit les cubes d'eau.
Il décide de les vider, un petit peu à la fois.
Il prend de l'eau dans le lavabo et la vide
dans la baignoire, sans perdre une goutte.

Caillou s'assoit sur son nouveau siège.
Il fait pipi dans les toilettes des grands
pour la première fois.

—Papa, j'ai soif, dit Caillou.

—Je mets un verre d'eau sur ta table de
chevet, dit papa. Si tu as soif cette nuit,
tu pourras boire.

Caillou est tout surpris de voir dans la nuit.

—C'est une veilleuse, explique papa.

Comme ça, tu pourras facilement aller
jusqu'aux toilettes. Si tu as besoin d'aide,
tu peux m'appeler, tu sais.

Le lendemain matin, Caillou est déçu.

Il ne s'est pas réveillé.

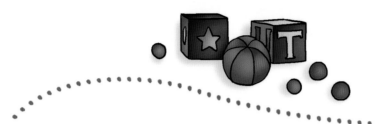

Caillou invite son cousin Émilio à venir
dormir à la maison. Caillou et Émilio
prennent un bain puis mettent leur pyjama.
Émilio ne met pas de couche pour dormir.
Caillou n'en veut pas, lui non plus.
—Émilio est plus grand, dit papa. Bientôt,
ce sera possible pour toi aussi.

Caillou met son ours en peluche, Octave,
sur le pot. Caillou, lui, va faire la sieste.
Quand Caillou se réveille, il n'y a pas de
pipi dans sa couche.
—Octave, tu n'es plus un bébé maintenant,
dit Caillou.

Un matin, Caillou s'écrie :

−Papa, papa, viens voir. Ma couche est propre. Je ne veux plus de couche la nuit.

−Bientôt, tu n'en auras plus besoin, dit papa. Tu deviens grand.

Caillou se réveille pendant la nuit.
Son lit est tout mouillé. Papa vient l'aider.
Papa lui met un pyjama sec et des draps
tout propres.

—Ce n'est pas grave, dit papa. Tu sais,
moi aussi, j'ai fait pipi au lit quand j'étais
petit. Tu as besoin de grandir encore.

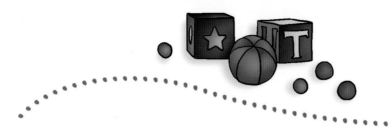

Caillou se réveille, son lit est tout sec.

–Je suis grand maintenant, dit Caillou.

–C'est vrai, tu n'as pas fait pipi au lit. Bientôt, tu y arriveras toutes les nuits. Ça viendra, dit papa.

Caillou se précipite vers les toilettes pour faire pipi !

CAILLOU est une marque de commerce appartenant aux Éditions Chouette (1987) inc.
Texte : Christine L'Heureux
Consultante : Francine Nadeau, M. Ps., psychologue
Illustrations : Pierre Brignaud
Coloration : Marcel Depratto
Direction artistique : Monique Dupras

Nous reconnaissons l'aide financière du gouvernement du Canada par l'entremise du Fonds du livre du Canada pour nos activités d'édition.

Nous remercions le ministère de la Culture et des Communications du Québec et la SODEC de l'aide apportée à la publication et à la promotion de cet ouvrage.

Catalogage avant publication de Bibliothèque et Archives nationales du Québec et Bibliothèque et Archives Canada

L'Heureux, Christine, 1946-
Caillou : fini les couches !
(Pas à pas)
Pour enfants de 2 ans et plus.

ISBN 978-2-89450-825-1

1. Éducation à la propreté - Ouvrages pour la jeunesse. I. Brignaud, Pierre. II. Titre. III. Titre : Fini les couches !. IV. Collection : Pas à pas (Éditions Chouette).

HQ770.5.L43 2011   j649'.62   C2011-940221-1

Imprimé à Guangdong, Chine
10 9 8 7 6 5 4 3 2 1   CHO1811 OCT2011